火燒赤壁

導讀文字：金　朝

繪　圖：李成立

萬里機構・萬里書店出版

編輯：莊澤義‧王淑萍
書名題簽：黃　天

④「古書今讀」之《漫畫三國演義》系列

火燒赤壁

導讀文字
金　朝

繪　圖
李成立

出版者
萬里機構‧萬里書店
香港九龍土瓜灣馬坑涌道5B-5F地下1號
電話：25647511
網址：http://www.wanlibk.com
電郵地址：wanlibk@enmpc.org.hk

發行者
萬里機構營業部
香港九龍土瓜灣馬坑涌道5B-5F地下1號
電話：25623879　　傳真：25909385

承印者
美雅印刷製本有限公司

出版日期
一九九五年七月第一次印刷
一九九九年八月第五次印刷

ISBN 962-14-0946-2

古書今讀叢書

我們的國家，有著數千年的文明。這數千年的文明，用各種各樣的方式記載下來，我們在神州大地上遊覽，為甚麼腳步不時會不由自主地再三猶疑，不忍遽然離去？那就是因為，中華民族的數千年文明以各種面貌出現在我們的跟前，或者是肅立的一個亭子，或者是既流動又凝固了的書法，或者是一彎雖然已經老去卻仍在努力的小橋，甚至，那不過是一塊不起眼的殘片，只是，對我們來說，這已經足夠。

我們當然不會忽略書籍這樣的一種載體。能夠一直流傳下來的老書，就是古書了。古書，我們不會嫌多；事實上，流傳下來的古書也是不多的。這事情裏面，有著一種必然，那是大浪淘沙的必然。大浪，沒有把一切都淘空淘盡，而且讓我們曉得了，甚麼是值得好好珍惜的寶貝。

文明與智慧同在，文明也與寬容同在。時間的流瀉，是一種滋潤，使我們的寶貝愈發有著動人的光澤，愈是親炙這樣的寶貝，我們便愈是容光煥發。「古書今讀叢書」出版的目的，便是希望藉著這套叢書的出版，使更多的讀者能親炙這樣的寶貝，得到不同程度的潤澤。由於種種原因，今人讀古書，會有這樣那樣的困難，成為一種阻隔，所以我們以導讀文字輔以漫畫的方法，構築成一彎「拱橋」，讓讀者能愜意地走過去，只要一伸手，就可以觸及那光澤。毫無疑問地，構築這樣的一道「拱橋」，是一項大工程。我們不希望曲解古書，也不要隨意或任意的所謂闡釋，但與此同時，又要於讀者有用，因為這樣，工夫就多了。工夫雖然多，我們樂於這樣去做，同時深願讀者也樂於見到這套叢書的出版，甚麼時候，也為這「拱橋」鼓鼓掌。

出版說明

蔣幹

火燒赤壁

曹操

龐統

周瑜

黄蓋

諸葛亮

3

《三國演義》主要人物

名、字、號簡表

名	字	號，以及書中對他的其他稱呼
劉備	玄德	劉皇叔、劉豫州、先主
關羽	雲長	美髯公、漢壽侯
張飛	翼德	
董卓	仲穎	董太師
呂布	奉先	呂溫侯
曹操 (小名：阿瞞)	孟德	老瞞、曹老瞞
孫策	伯符	小霸王
孫權	仲謀	碧眼兒
徐庶	元直	
諸葛亮	孔明	伏龍、臥龍先生、武鄉侯
趙雲	子龍	
魯肅	子敬	
周瑜	公瑾	周郎、周都督
黃蓋	公覆	
龐統	士元	鳳雛先生
張遼	文遠	
魏延	文長	
黃忠	漢升	
馬超	孟起	
楊修	德祖	
司馬懿	仲達	
龐德	令明	
呂蒙	子明	
陸遜	伯言	
曹丕	子恒	
姜維	伯約	
劉禪	小字阿斗，公嗣	後主
廖化	元儉	
鍾會	士季	鍾司徒
鄧艾	士載	

目　次

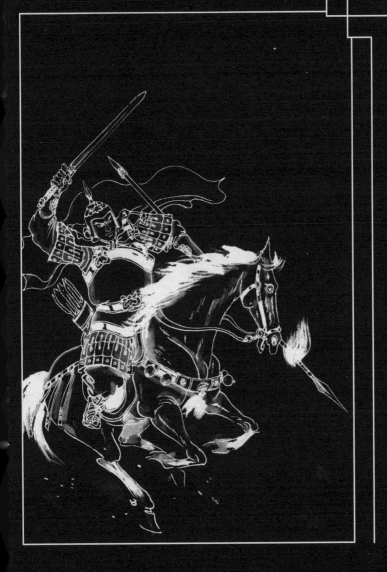

一

單騎救主

意念、智謀與勇武

　　說到智謀與勇武，智謀總是在勇武的前面，如「智勇雙全」，雖說雙全，還是智在勇之前，勇在智之後。「有勇無謀」更是一貶語。

　　然而，世界上的事情是複雜的，並無絕對是這樣，或絕對是那樣。

勇敢與智慧互爲表裏

　　第一，「有勇無謀」，在修辭學上，是誇張了有與無，形成對比，使傳達的信息清晰一些。可是，另一方面，我們卻得明白，事實上，只有勇而無謀的人是不多的，便是張飛，也並非有勇無謀，只是勇多一些，謀少一些。

　　第二，有的時候，智需要勇的支撐；勇，使智發揮得更好。「有勇無謀」是貶詞，那末，「有謀無勇」也並不好到那裏去。無勇之謀，可能只是閉門造車、空中樓閣。如孔明，他便不是有謀無勇之輩，看他隻身深入江東，舌戰羣儒，那種勇氣，不可小覷①。

救阿斗勇武壓倒一切

　　第三，在某些特定時空，勇可能比謀更加重要，更能發揮作用。「趙雲百萬軍中藏阿斗」便是如此。

劉備因為要照顧百姓，誤了時間，被曹操的百萬大軍衝殺、圍困，情況十分兇險、危急，他的兩位夫人與兒子阿斗都失散了。肩負起尋覓任務的，便是趙雲。「趙雲百萬軍中藏阿斗」，說的是他尋回阿斗之後如何突破重圍的事。糜夫人對趙雲說：「望將軍可憐他父親飄蕩半世，只有這點骨肉。」可說是道盡了阿斗的重要性。我們得看到的是，趙雲在尋得阿斗之前，憑着個人之力，在曹操大軍裏亂闖，甚至好不容易才擺脫了敵陣，卻又再次折回，勇冠敵方三軍。那個時刻，他憑的就是勇，而不是智。

意念使勇武暢通無阻

尋到之後，他把阿斗在身上藏好，然後像瘋了一般地要闖出去，曹軍無法把他攔截。在山頂觀戰的曹操看見了，知道他就是趙子龍，很希望得到他的幫助，便傳令各處：「如趙雲到，不許放冷箭，只要捉活的。」趙子龍和阿斗後來能夠不受傷，與此大有關係。

在曹操眼中，趙雲是一員「虎將」，他欣賞的，是趙雲的勇武。勇武，壓倒了一切。勇武，也給趙雲帶來了通行證。在那個情況下，智謀，未必及時救得了阿斗。再說清楚一點就是，勇武過人，使趙雲得到了曹操的賞識；也因為勇武過人，使趙雲奪得了曹操的「青釭」寶劍

①小覷：小看。

之後，發揮了極大的作用。趙雲在曹操百萬軍中的通行證，是這樣的一個通行證。「雲插劍提鎗，復殺入重圍；回顧手下從騎，已沒一人，只剩得孤身。雲並無半點退心，只顧往來尋覓；但逢百姓，便問糜夫人消息。」他就是這樣，把百萬曹軍一視如無物。我們藉此也看到了，先於趙雲的勇武的，還有一種意念，就是一定要找到阿斗，救出阿斗。

　　這意念無堅不摧，使勇武暢通無阻。

　　而，這又是另一種通行證。

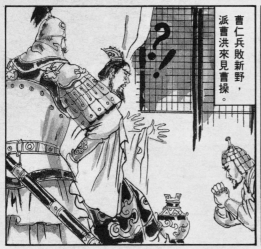

曹仁兵敗新野，派曹洪來見曹操。

諸葛村夫，竟如此猖狂！

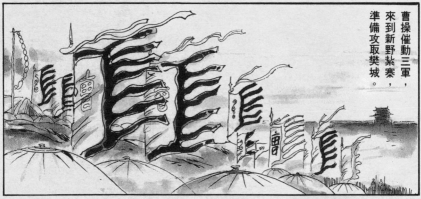

曹操催動三軍，來到新野紮寨，準備攻取樊城。

曹操大兵壓境，怎麼辦？

放棄樊城，暫避襄陽。

好！就這麼辦！

11

劉備帶領新野、樊城百姓，向襄陽撤退。

劉琮賢侄，我爲救百姓而來，快開城門！

別放他們進城！

報，劉備在城外……

主公有令，不准他們入城，放箭！

蔡瑁、張允來到城樓。

啊！

劉玄德為救百姓而來，百姓相投，為甚麼不放他們進城？

魏延持刀率人殺上城。

蔡瑁、張允逃下城去。

劉皇叔，快進城，共殺賣國之賊！

進城吧！

不！不要再驚動城內百姓。

不能丟下百姓！失了民心，怎成得了大事？

眾將勸劉備丟下百姓，軍馬先行。

於是，劉備帶着百姓，轉向江陵。

報！曹操已佔領樊城，即將渡江追來。

情況緊急，主公可派關羽去江夏向劉琦借兵。

劉備依從，立即派關羽前往江夏。

劉備調整部署，派張飛斷後，趙雲保護家眷，其餘將領照顧百姓，緩緩向江陵而去。

丞相有召！

去襄陽把劉琮召來見我！

樊城，曹軍大營。

你倆回去告訴劉琮，我當奏明天子，讓他永做荊州之主。

謝丞相大恩！

劉琮不敢前往，派蔡瑁、張允去見曹操。曹操封蔡瑁爲水軍大都督，張允爲副都督。

16

那太好了！

丞相說奏明天子，讓你永做荊州之主。

劉琮，我封你爲靑州刺史，上任去吧！

！？

劉琮把曹操迎入襄陽。

靑州靠近京都，就像在朝中做官一樣，免得在這裏被人謀害。

我不願到外地做官，願意守着父母的鄉土。

劉琮後悔莫及只得同母親蔡夫人啟程。

于禁，你去殺了劉琮母子。

于禁追上劉琮母子，把他倆殺了。

曹操得了襄陽，派降將文聘引軍開道，親自率領精兵，追襲劉備。

這時，劉備帶着百姓，距襄陽僅三百餘里。

雲長去江夏，怎麼杳無回音？

還是請軍師親自走一趟。

諸葛亮帶五百兵士往江夏而去。

這天黃昏，劉備來到當陽縣景山駐紮。

報！曹操先頭部隊已經逼近……

主公，現在只有丟棄百姓，才能擺脫曹軍的追襲……

百姓從新野隨我到此，我於心何忍？迅速作好迎戰準備。

殺！

四更時分，曹軍殺到，劉備親自迎戰。

曹軍勢大，劉備被圍。

大哥，小弟保你突圍！

張飛保着劉備，衝出重圍，手下只剩百餘人。

十幾萬百姓，爲我遭此大難，兵將老小，不知存亡，叫我萬分痛心。

主公，我看到趙子龍奔向曹營，投降曹操去了。

糜芳奔來。

人心難測。他見我們勢孤力單，說不定投曹操享富貴去了。

胡說，子龍與我患難之交，決不會去投曹操。

21

我親眼見他奔西北而去！

待我親自去尋他，一槍殺了他！

不得胡來……

張飛不聽，帶了二十餘騎，直往西北而去。

他在長坂橋上向西瞭望。

你們在橋東樹林中拖着樹枝奔跑，作為疑兵。

是！

這時，趙雲正奮力拚殺，被亂軍衝散，尋找殺被亂軍衝散的甘、麋兩位主母。

你見到兩位主母嗎？

?

兩位主母棄了車仗，抱着阿斗，混在百姓中，逃向長坂坡去了。

他遇到受傷的謀士簡雍。

你倆護送簡謀士先回。

是！

簡謀士，你報與主公，我就是上天入地，也要把主母和小主人尋回來。

23

他先找到了甘夫人。

趙將軍……

趙雲前往長坂坡，繼續尋找。

主母受驚了。糜夫人和阿斗呢？

我們被曹軍衝散，不知道他們的去向！

這時，曹將淳于導押着被俘的糜竺，率軍衝來。

趙將軍，謝謝你救了我。

趙雲把甘夫人和糜竺護送到長坂橋。

子龍，俺錯怪你了！俺哥就在前面。你快去見他吧！

趙雲上前迎戰，一槍刺死淳于導。

啊！

25

趙雲折回舊路，到處尋找糜夫人和阿斗。

如此膿包，見鬼去吧！

曹操的背劍將軍夏侯恩見了趙雲，帶領十幾名騎兵衝殺過來。

好運氣！稀世之寶！繳獲了一口二青釭寶劍。

主母受驚了！

趙雲輾轉找尋，終於在一座斷牆後找到了抱着阿斗的糜夫人。

主母受難，趙雲有罪。請主母上馬，我徒步死戰，保護主母衝出重圍！

見到將軍，阿斗有救了！

糜夫人怕拖累趙雲和阿斗，投井身亡。

趙雲把阿斗藏在懷中，推倒土牆掩住井，上馬離去。

曹將晏明迎面殺來，被趙雲一槍刺死。

趙雲不敢戀戰，奪路而走。

一張郃引軍攔住，大戰十餘合。

呼！

趙雲你不逃了啦！

一道紅光衝起，那馬猛地躍出土坑。

奇怪！怎麼會有紅光？

趙雲，你往哪裏逃？

趙雲力敵四將，全無懼色。

幾十名曹軍將領齊戰趙雲。

啊！

29

丞相有令，要活捉趙雲……

好一員虎將，曹操觀戰。傳將令，不准放箭，我要收降他！

幾經奮戰，他終於突出重圍。

趙雲左衝右突，殺死曹軍將領五十餘名。

唉！我空有戰將千員，不抵趙雲一人，真是遺憾。

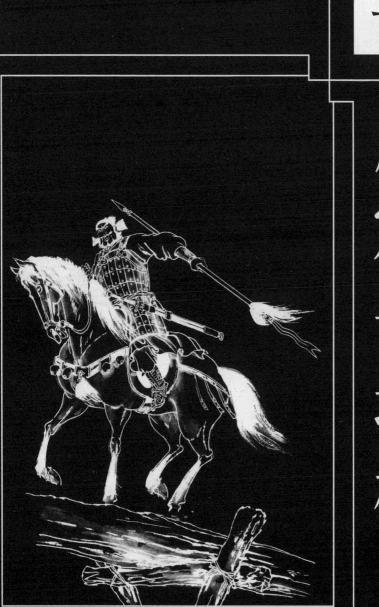

二

威震長坂橋

喝斷長坂橋的啟示

有了一個大目標之後，便要傾注以堅定的意志，百折不回。這樣，心神結成一團，便能喚出許許多多有用的東西來。

「方寸亂矣」如廢了武功

孔明的好朋友徐元直也曾助劉備一臂之力，他有智慧、懂天文、掌兵法。可是，後來曹操捉了他的母親，以此威脅，接着母親又自殺身亡，使他的意志渙散，用徐庶（元直）的話，也就是「方寸亂矣」。這末一來，他就像給廢了武功一樣。

以寡敵眾靠意念支撐

張飛獨自一人把守長坂坡，喝退曹操、曹操的一羣大將與兵馬，靠的也是強大的意念。意念一旦渙散，他也便會支撐不下去。張飛能退敵，這是最主要的一點。其次，張飛命手下的二十餘騎兵拖着樹木的斷枝，在他背後的樹林裏來回跑動，揚起塵土，做成疑兵。不過，曹操等主要還是怯於孔明用計的威名，才不敢擅闖。其三，曹操曾在關雲長的口中聽過張飛「翼德於百萬軍中，取上將之首，如探囊取物①」的話，有了戒懼之心。幾種因素，有主有次，相輔相成。

猛張飛喝塌曹軍意志

　　在那僵持的一刻中，張飛喝了三次。第一次，「聲如巨雷」，使曹軍「盡皆股栗②」；第二聲喝，使曹操「頗有退心」；第三聲，「喊聲未絕」，「曹操身邊夏侯傑驚得肝膽碎裂，倒撞於馬下」。曹操與諸軍眾將一起逃跑，十分狼狽：「冠簪盡落，披髮奔逃」。

　　有人說，張飛喝斷長坂橋，其實，最重要的，是喝塌了曹操與諸將的意志，意志一倒，人便站不住了。據《三國演義》所寫，長坂橋是後來被張飛拆去的。

①探囊取物：伸手到袋子裏取物，形容容易之至。

②股栗：雙腿顫抖。

不一會，文聘率軍追到長坂橋西側。

曹仁等名將，怕中了諸葛亮之計，都不敢近前。

橋東林中塵土飛揚，恐有伏兵。

我是燕人張翼德，誰敢和我決一死戰？

聲若響雷，震耳欲聾。

曹操聞報趕來，察看虛實。

眾將聽了，對張飛望而生畏。

曹操懼怕張飛，下令撤去青羅傘蓋。

我聽雲長說過，張飛在百萬軍中取上將首級，像探囊取物一樣。今日相逢，千萬小心！

燕人張翼德在此，誰敢來決死戰。

張飛如此英勇，還是退兵算了！

37

你們戰又不戰，
退又不退，
這是甚麼意思？

撤！

曹軍自相踐踏，
奪路逃命。

這聲斷喝，把曹操身旁
的夏侯傑驚得落馬身亡。

張飛怕曹軍捲土重來，下令把長坂橋拆掉。

我喝退了曹軍，拆毀了長坂橋。

你是很勇敢的，可惜考慮不周。

為甚麼？

你不拆橋，曹操怕伏兵，不敢來追；你一拆橋，他料我兵少膽怯，必來追趕。

劉備立即從小路向漢津方向撤退。

丞相，那張飛只一個人，怕甚麼。現在殺回去，一定可擒住劉備。

張遼、許褚趕上曹操。

這時，曹操縱馬奔逃，連帽也丟了，十分狼狽。

那你倆回去看看。

丞相，張飛把橋拆了，人也不見了。

張飛心虛，立刻回兵追擊！

哈！劉備就在前面，誰抓住他，重重有賞！

將近漢津。

殺啊！活捉劉備！衝啊！活捉劉備！

關羽在此等候多時了！

正在這時，關羽從江夏借兵回來，從山後殺出。

糟糕！又中了諸葛亮的計了，快退兵！

關羽率軍追擊，曹軍大敗潰逃。

我從江夏借來軍馬，軍師命我從旱路接應你們。

關羽回軍，找到劉備。

關羽保着劉備，來到漢津渡口上船。

突然，南岸戰鼓齊鳴，大隊船隻順風駛來。

不好！可能是曹操的水軍。

叔父，小姪迎候多時了。

43

聽說叔父被曹操追擊，小侄特來接應。

軍師怎麼知道我在這裏？

雲長領兵守夏口，我們到江夏去！

現在我們怎麼辦？

我預料主公必走漢津。

劉備到了江夏，整頓軍馬，準備抵御曹操。

三

舌戰羣儒

諸葛舌戰而勝的玄機

「諸葛亮舌戰羣儒」是《三國演義》裏歷來爲人津津樂道的一個故事。諸葛亮爲了大力扶助劉備，不惜隻身赴會，前往東吳，遊說孫權，一起對抗勢力愈來愈大的曹操。

知己知彼乃心中無懼

而，在見到孫權之前，他首先要會一會以張昭爲首的東吳羣儒。羣儒輪番向他問難的，一共有九人：張昭、虞翻、步騭、薛綜、陸績、嚴峻、程德樞、張溫、駱統等。羣儒都是既得利益者，而且起碼佔有地利。他們主和，又以爲，即使是投降給曹操，也比戰好。

諸葛亮隻身赴會，卻是毫無懼色。這一點是很重要的，如果心存害怕，那末，所謂隻身赴會，便只是勉力而爲之，很容易會露出馬脚來，讓人家乘虛而入，使自己落敗。這樣落敗，便是敗在自己手上。

諸葛亮能夠毫無懼色，首先是因爲他對羣儒瞭如指掌，心中有數。自己的本領無論怎樣高，倘若因此而自恃，不把對方看在眼內，不去了解對手，便是犯了二大忌。其一，因爲自恃，我們會鬆懈下來，不能處於最佳狀態，甚至不能處於較佳狀態，在這末一個情況下，一身好本領便不能很好地發揮，打了折扣。有的人說的「有質無態」，指的就是這個。其二，不了解對手，估計

不足，在某個程度上，便是盲目，給予對手可乘之機。同時犯上這二大忌，便差不多是自縛一手一足了。

求之於人莫如求諸己

毫無懼色，也可以是因為犯上了這二大忌。幸好，諸葛亮並非如此，否則，即使他本領再高，面對東吳羣儒，也是會敗下陣來的。諸葛亮的厲害，是他不以自己的本領高而自恃，能夠在事前有充分的準備，有充分的估計。這樣做，使他如虎添翼。諸葛亮的這個例子，也給我們提供了一個角度，使我們看到了，「求諸人不如求諸己[①]」這句話的另一個意義，也許是更深層的意義。求諸人，往往受制於人，況且，人家不一定清楚明白我們的要求，不一定恰如其份地能夠做得到；求諸己，只要有足夠的自省力，那是比較容易達到目的的。自省，很可能是智慧之源，也是力量之源。

《三國演義》裏並沒有交代，諸葛亮在前往東吳之前，是如何自省的，但是，我們看到，諸葛亮對當時曹操、孫權、劉備三方所構成的形勢有清晰的了解，對三方各自的優劣也知之甚詳，而，這也是有助於他的自省的。總的來說，劉備一方處於劣勢卻有前景，這一點，對諸葛亮的自省也是有好處的。

私利掣肘羣儒居下風

東吳諸子求和，甚至不惜投降曹操，主要是因爲他們擁有了不少利益，於是要保有這些利益，最好是和，其次是投降而不損利益，相對來說，最爲不智的，就是戰了。他們的智慧未必與諸葛亮相距很遠，然而，有了這樣的自我掣肘，心靈閉塞了，也便變成笨手笨腳了。

相比之下，諸葛亮儘管是隻身赴會，東吳諸子儘管是以逸待勞和人多勢衆，但高低的分別已立見，早就分出了勝負了。

我們做事能不能成功，也有賴於準確的形勢分析與判斷，這可以撥開雲霧，不被表面的東西迷惑，逕直掌握實質，從而「衆人皆醉我獨醒」，「穩坐釣魚船」了。我們常常聽到類似的說法，爲什麼某某人在大好形勢下而失敗，爲什麼某某人處於劣勢而勝出，聯繫上面所說，我們便曉得，「大好形勢」也好，「劣勢」也好，極有可能只是表面的樣子，表裏並不如一。看到了這一點，便會知其所以然。

行險着故意錯喻二喬

「諸葛亮舌戰羣儒」而能夠得勝，他的雄辯滔滔，無疑是夠厲害的，但他的所以得勝，主要靠的，還不是這

個。口才便給②，畢竟是次要的；口才再好，也容易露出馬腳，例如諸葛亮爲了刺激周瑜與孫權，他知道前者的妻子是「小喬」，後者的妻子是「大喬」，便故意把曹操的幼子曹植的「銅雀台賦」裏的「攬二喬於東南兮」（句子裏的喬與橋相通）說成是東吳的二喬——大喬、小喬。諸葛亮這裏是行險着，是有可能被識破，「一子錯，滿盤皆落索③」的，但他明白，周瑜在東吳的地位高，卻比較浮躁，只要使周瑜急怒攻心，再大的謊言也是穩如泰山的。

激將法逼孫權下決心

另一個有趣的地方是，東吳的謀士魯肅一再提醒諸葛亮不要在孫權面前提及曹操的兵力，以免把孫權給嚇了。可是，諸葛亮卻反其道而行，詳細透露曹操的兵力，用上了「激將之法」，使孫權坐不住，接着便決定向曹操宣戰了。諸葛亮是準備得好，所以即使是隨機應變也自然流暢！

① 求諸人不如求諸己：遇到困難的時候，與其去向人求助，不如向自己求助。

② 便給：形容口才了得。

③ 一子錯，滿盤皆落索：下棋的時候，一子錯，可能導致一盤皆輸。

49

曹操退兵後，怕劉備從水路去取江陵，星夜率兵趕到江陵。

劉備退守江夏，若和東吳聯合，後患無窮，你們可有甚麼計策？

江陵守將鄧義、劉先開城投降。

好計！

丞相可邀孫權會師江夏，共滅劉備。只要孫權同意，劉備就完了！

50

他一面派出使者去東吳，一面率兵「百萬」，沿江東下。

屯兵柴桑的孫權得到消息，召集謀士商議。

好！你去試試！

我去江夏，說動劉備，聯合抗曹。

正巧諸葛亮也主張聯合抗曹，雙方一說即合。

魯肅知道孫權仍有疑慮，便請諸葛亮去江東共商抗曹大計。

先生見了孫將軍，不能說曹操兵多將廣。

你放心，我自會對答。

51

來到柴桑，魯肅安排諸葛亮在館驛住下，自己去見孫權。

這時，孫權已接到曹操的信，正與文武官員議事。

主公打算怎麼辦？

我還沒拿定主意。

是呀！投降爲上。

欲與將軍會獵於江夏，共伐劉備，同分土地。

東吳無力抵擋百萬曹軍，還是投降爲上。

文臣要降，武將要戰，孫權猶豫不決。

主公，不能投降！打下的江山豈能輕易送人。

主公，不能聽他們的話。別人可以投降曹操，主公萬萬不能。

我們投降還可做官；主公的地位保得住嗎？

為甚麼？

你說得很對！但我擔心敵不過曹操。

今日已晚。明天讓他先見見我江東文武英傑，我再見他！

我已把諸葛亮約來柴桑，問他，主公只要退入後堂，便知曹操虛實。

不一會，孫權立刻跟進來。

第二天，魯肅帶諸葛亮來到議事廳，只見張昭、顧雍等文武官員都在廳中等着。

聽說先生隱居隆中時，自比管仲、樂毅，這話可當真？

諸葛亮逐個施禮，通了姓名，逐坐下。

這不過隨便打個小比方罷了。

劉使君請得先生出山，本想奪下荊、襄，可現在呢？這怎麼說？

張昭是東吳第一謀士，如不先把他駁倒，那就休想說服孫權了。

54

55

先生想學張儀、蘇秦，前來游說嗎？

劉皇叔幾千人馬，和曹操拚了幾陣。江東兵精糧足，不少人卻主張投降，誰怕曹操，豈不一清二楚！

蘇、張都是豪傑之士，你們一聽曹操的大話就想投降，還好意思話他們？

名爲漢相，實爲漢賊！

先生認爲曹操是甚麼人？

先生差矣！今天下曹公已有三分之二，天下歸心……

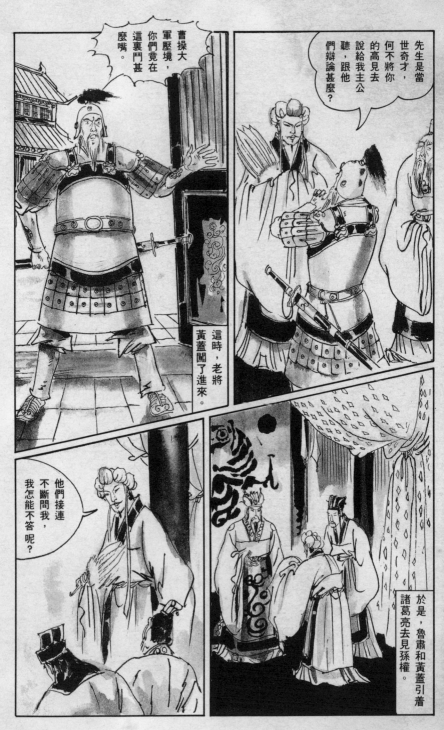

先生是當世奇才，何不將你的高見去說給我主公聽，跟他們辯論甚麼？

曹操大軍壓境，你們竟在這裏鬥甚麼嘴。

這時，老將黃蓋闖了進來。

他們接連不斷問我，我怎能不答呢？

於是，魯肅和黃蓋引着諸葛亮去見孫權。

四

智激周瑜

怎樣看好兆頭和壞兆頭

　　有一句人們常常愛說的話，就是「謀事在人，成事在天」，我從這句話得出另一句話，叫「天助自助者」，在這兩句話裏，「天」都擔任了重要的角色。

人的問題和天的問題

　　在中國人的傳統觀念中，天是萬物的主宰，是不可逆的。因為這樣，所以皇帝就是天子，天命難違。不可忽視的是，這種觀念到了今天，還是很牢固的。

　　有的人，常常自我感喟為命運所囿①，恐怕就是由於這種觀念在作祟。一個人的命運，由天所注定，這末一個觀念如果牢不可破，也便只有規規矩矩地做人了。

　　我們也不是要逆天而行，到了今天，我們對於天，還是所知不多，又怎能談得上逆天呢？但是，另一方面，我們也不要養成隨便套用「逆天而行」這句話的習慣。有的事沒法做或有的事做不成，輕輕一句「逆天而行」，也便帶過了，如果檢討，也得讓老天去做。抱着這末一個態度，不是天有問題，而是人有問題了。

敵我僵持與自我僵持

　　所以，我們一定要謀事，曹軍雖強雖盛，但不諳②水性，面對東吳水軍，也得謀事；反之，東吳也如此，

他們儘管善於水戰，可是軍力遠不及曹兵，所以亦要謀定而後動。僵持之勢，往往是這樣形成的。僵持，表面看來是靜的，其實內裏有着許許多多動作；那許許多多的動作，都是爲了將來的爭鋒和爭勝。曹操與周瑜的僵持，也是這樣的。

僵持，不僅發生在敵我之間，也會發生在一己的身上。在決定一個行動之前，自我僵持一下，不要立刻就一面倒，不管倒的是哪一面，總是有好處的。

赤壁之戰爆發之前，曹操經過了一番準備，自以爲勝券在握，在一個晚上，於連環船上夜宴羣臣，一方面指周瑜等人「不識天時」，一方面又稱「天助吾也」，以其五十四歲之年，還要立願在破周瑜、得江南之後，當娶二喬，置於他新築成的銅雀台上，「以娛暮年」。因爲有了這樣的心態，在夜宴羣臣之際，看見鴉鵲南飛，也不會以爲是不祥之兆，繼而慷慨激昂，對酒當歌，歌詞裏有「月明星稀，烏鵲南飛，遶樹三匝③，無枝可依」之語，從他多年，「多立功績」的劉馥挺身而出，向他進言，認爲「大軍相當之際，將士用命之時」，不宜口出此「不吉之言」，便當場給曹操刺死於槊下。當時曹操雖然帶有醉意，但最關鍵的，是沒有僵持一下。沒有僵持一下，是沒有了僵持之力，自己給自己打敗了，與人無尤，與天無尤④。

不祥之兆和吉祥之兆

其實，所謂不祥之兆，對我們來說，最有用的，就是使我們從沒有接觸過的角度去思考，去發現問題。發現問題是大好事，因為沒有發現問題，並不等於沒有問題。存在問題而沒有發現，一旦問題跑了出來，我們便可能束手無計了。

周瑜則倒在了另一面。

周瑜與曹操於一江之兩方對峙、僵持，一時之間，兩軍並沒有大規模的正面交鋒。一天，周瑜於山頂觀察雙方的形勢，思考破敵之策；苦思之際，「忽見曹軍寨中，被風吹折中央黃旗，飄入江中」，周瑜頓即大笑，認為此乃曹軍不祥之兆。其實他是笑得太早，因為他並未能捕捉那「不祥之兆」裏的切實的東西，也因為這樣，他接下來才會吐血的。

所謂兆頭，有的人所抱的態度是「信則有，不信則無」，本來，這也未嘗不可，不過，即使是不信有兆頭這回事，也不應盲目從事。對於兆頭，我們可以看成是一種提醒，使我們減少盲目性。看到了甚麼兆頭，便想他一想，是否有甚麼不妥，能夠這樣做，是很有好處的。常言道，居安思危⑤，看到了一些兆頭，往壞處想一想，可以說是等於加大了保險系數。這裏面，關鍵之處，是往壞處想，而不是往好處去想。到底是往壞處去

想還是往好處去想，許多時候，決定的都是我們自己，而不是「天」。不過，也是許多時候，當我們處在重要時刻，便會特別敏感，也特別脆弱，對周遭的事物，反應也特別的大，或者說，有着過敏反應。曹操把「烏鵲南飛」並不看成是不吉，還立即把進言的劉馥刺死，也完全是過敏。處於大戰前夕的曹操也是脆弱的。

周瑜也不比曹操好得了多少，他剛剛把曹操寨裏的中央黃旗被風吹折看成是好兆頭，緊接著，「忽狂風大作，江中波濤拍岸。一陣風過，刮起旗角於周瑜臉上拂過。瑜猛然想起一事在心，大叫一聲，往後便倒，口吐鮮血。諸將急救起時，卻早不省人事」。原來，他是想到以火攻破曹軍，然而，風吹旗角拂臉，使他猛醒，正值隆冬之際，只刮北風，也就是說，風不往曹寨裏吹，如果用火攻，火乘風勢，到頭來，受害的卻是自己。

周瑜能夠及時猛醒，其實也是好事。這也是由於，他一直把曹操視為強敵、大敵，在曹寨中央黃旗被風吹折之前，他還對一起視察形勢的眾將這樣說：「江北戰船，如蘆葦之密；操又多謀，當用何計以破之？」換了是曹操，以為己強敵弱，那便恐怕不會有那樣的醒覺了。

登壇作法的普遍意義

　　强弱的逆轉，有時確實是很容易的。孰强孰弱，有時所差的，只是一線。如果世間眞的有天助這回事，那末，也只有不斷自强者，才會最後得到天助。諸葛亮後來登壇作法，借得東南大風，在今天看來，實在是不可思議的事，對我們來說，這事情的普遍意義，也就是在於：天助自助者⑥。

⑥天助自助者：老天只會幫助那些肯自己勉力克服困難的人。

諸葛先生，曹操到底有多大實力？

孫權相貌非凡，看來只能用反話激他……

馬步水軍，共一百多萬；謀士戰將，不下一二千人。

曹操平了荊、襄，還有別的企圖嗎？

他沿江下寨，準備戰船，當然是企圖謀取江東。

將軍要是有抵御曹操的力量，就戰；不然，就投降。

那該怎樣對付他呢？

65

那劉備為甚麼不投降呢？

我主公是當世英雄，怎會向曹操屈膝投降？

孫權拂袖而起，退向後堂。

沒想到孫將軍器量這樣小呢，我自有破曹之計，他不問，我何必說呢？

你怎麼能這樣說話呢，太看不起我們主公了。

我也埋怨他，他卻笑你器量太小，說他自有破曹之計。

諸葛亮太欺人了！

剛才多有得罪，請別見怪！

我說話冒失，也請恕罪！

魯肅來到後堂。

願聞先生良策。

聯合抗曹。

原來他故意激我，險些誤了大事。

我們江夏和夏口各有一萬精兵。

劉將軍剛打了敗仗,還有力量抵抗曹軍嗎?

好!孫劉結盟,共拒曹操!

哈!

主公已決定發兵抗曹……

以少勝多,以弱勝強,歷史上戰例不少。曹軍不懂水戰,又不得民心,孫劉聯盟,定能勝曹!

主公，這是諸葛亮的詭計……

主公，千萬不要上當！

你們先退出，讓我再考慮一下。

你也退下，讓我再想一想。

張昭他們只為自己打算，主公千萬要拿定主意。

你哥哥遺言：外政不決，可問周瑜。你難道忘了？

孫權回到內宅，告訴吳國太。

69

使者還未出發，周瑜已趕來柴桑。

孫權立刻派出使者去宣召周瑜。

張昭、顧雍等文官趕來拜訪，力主投降。

我也主張投降……

你不用擔心，我自有道理，你去把諸葛亮請來。

魯肅把情形告訴周瑜。

程普、黃蓋等武將趕來拜訪，力主迎戰。

我也主張迎戰，你們放心吧！

晚上，魯肅帶諸葛亮來見周瑜。

曹操勢大，為保全江東百姓，還是投降為上。

都督，你究竟是主和，還是主戰？

兵力懸殊太大，不能以卵擊石！

將軍如此英雄，怎麼竟也主張投降？

這不是周瑜的真心話，我激他一激，讓他說出真話。

你笑甚麼？

我笑子敬不識時務……

73

第二天，孫權召集文武大臣再次議事。

好！我一定全力相助！

說實話，我剛才是特意相試。望孔明相助一臂之力，共破曹賊！

江東三世基業，怎能輕易送人？我願意領兵抗擊曹操！

主公準備戰，還是和？

大軍壓境，進退兩難，你的意思呢？

74

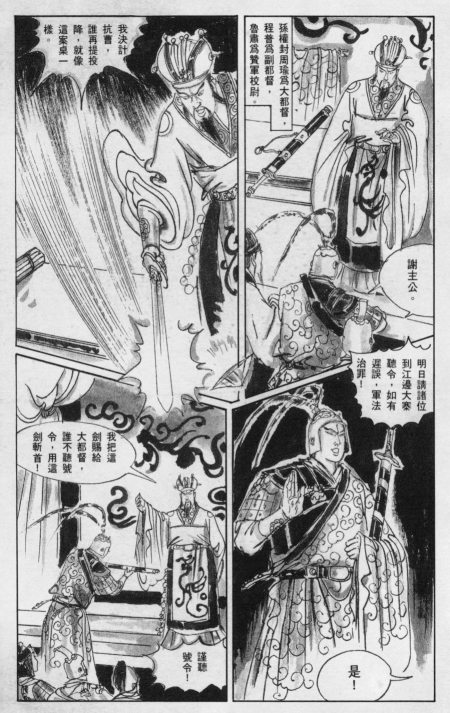

孫權封周瑜爲大都督，程普爲副都督，魯肅爲贊軍校尉。

謝主公。

明日請諸位到江邊大寨聽令，如有遲誤，軍法治罪！

我決計抗曹，誰再提投降，就像這案桌一樣。

我把這劍賜給大都督，誰不聽號令，用這令，劍斬首！

謹聽號令！

是！

75

孫將軍還擔心曹操兵多，心存疑慮，必須消除他的顧慮。

現在大局已定，願求破曹良策。

周瑜回營，把諸葛亮請來。

好！我馬上再去見主公！

曹操有大軍百萬，只怕寡不敵眾。

主公對抗曹還有甚麼疑慮嗎？

曹兵號稱百萬，實際只有二三十萬，我只要五萬精兵，就能打敗他！

如此我就放心了！你先發兵，我率軍後應，和曹賊決戰！

76

周瑜把魯肅請來，把心事說了。

萬萬不可！曹操未破，先殺諸葛，是自斷臂膀。

看來諸葛亮比我高明，得除掉他！

這人輔佐劉備，遲早是江東後患。

我看不會成功，但不妨一試。

依我之見，請諸葛瑾設法拉他到東吳來。

弟弟，你知道伯夷、叔齊的故事嗎？

唔！哥哥替周瑜作說客來了。

諸葛瑾來見諸葛亮，兄弟互訴衷腸。

那哥哥跟我一起去輔佐劉皇叔吧！

他們哥倆連餓死都守在一起，我倆卻……

這兩位都是古代的大賢啊！

弟弟太聰明了，我說不過他。

他既不肯留在東吳，我自有伏他之計。

我沒能說動他……

第二天，周瑜調兵遣將，水陸並進，來到三江口下寨。

周瑜欲借曹操之手殺掉諸葛亮，故意請諸葛亮領兵一千去聚鐵山劫糧。

先生這次出兵，有成功的把握嗎？

他說我不會陸戰，我自帶一萬人馬去劫糧！

我水戰、步戰、馬戰樣樣精通，怎會不成功？不像周瑜，只會水戰，……

魯肅把諸葛亮的話告訴周瑜。

公瑾借刀殺人，我會不懂？只是現在合力破曹，不能彼此謀害。

曹操慣會斷人糧道，怎能不防？你勸公瑾不必冒險。

魯肅又來見諸葛亮。

諸葛亮說……

目下用人之際，要以國事為重。待破了曹操再說。

好吧！

他見識強我十倍，不殺了他，一定會留下大患。

周瑜欲害劉備，邀劉備前來共商大計。劉備帶着關羽，欣然而來。

這時，劉備率軍到了樊口，派糜竺來東吳犒軍。

有雲長守着主公，不會出危險。

諸葛亮得悉，十分吃驚，趕到中軍帳察看動靜。他自去江邊，等候劉備。

周瑜一面設宴相待，一面暗中伏下刀斧手。

劉將軍，你身後是誰？

我二弟關雲長！

周瑜知道關羽勇武，沒敢動手。

主公知道今天的危險嗎？

周瑜伏下刀斧手要害你，見雲長跟着，才沒敢下手！

甚麼危險？

劉備和關羽回到江邊船上，見到諸葛亮已在船上。

82

五

巧使反間計

甚麼是巧甚麼是拙

曹操要攻東吳，卻苦於不習水戰，欲速不達，只好命陣中熟知水戰的前荊州降將蔡瑁和張允等任水軍都督，日夕勤加操練。

渾然天成才真的是巧

周瑜親自窺探曹軍之軍情，視蔡瑁和張允為心腹大患，務除之而後快。「巧使反間計」說的是周瑜用計使曹操派來的間諜（細作）蔣幹上當，回去通報曹操，並借曹操之手除去蔡瑁和張允的故事。

周瑜自命足智多謀，很喜歡用計，特別是要在這方面把諸葛亮比下去，這次所用的反間計，就是他精心炮製的。

說是巧，其實是巧合之處太多，並且太過着跡，顯得笨拙。真正的巧，應該是渾然天成，而不是像周瑜那樣的機關算盡。老謀深算的曹操的這次上當，也是一次例外，如果他聽了蔣幹所「刺探」得來的軍情（蔡瑁和張允是周瑜的內應），不是勃然大怒，而是稍作推敲，便也不會把蔡瑁和張允殺了的。事實上，蔡瑁和張允的首級方獻上給曹操看，曹操已經猛然省悟，自己是中了計。

該怎樣給自己打分數

　　周瑜自以為此計成功，自己給了自己一百分，還要魯肅去試探孔明，看他懂不懂和怎樣給他評分，也真是太過不知自省了。如果周瑜的自我要求高一些，再加上能客觀地作自我評價，那末，他便會給自己另外一個分數了。老是要看人家的反應來給自己評分，或者，老是對自己的表現感到滿意，都是有問題的。

　　至於蔣幹，那不消多說了，肯定是一個庸材。他是曹操的一名食客，急於表現自己，便自動請纓去說服周瑜投降，所憑的是自己是周瑜的同學，和他所謂的「三寸不爛之舌」，結果一開始便為周瑜洞悉來意，受周瑜所掣，最後還被周瑜利用，成為直插在蔡瑁與張允心臟的利刃。

曹操得知周瑜毀信斬使，命蔡瑁、張允爲先鋒，自己爲後軍，殺向三江口。

周瑜派甘寧爲先鋒，自率大軍接應，乘船迎戰。

我是東吳大將甘寧，誰來與我決戰？

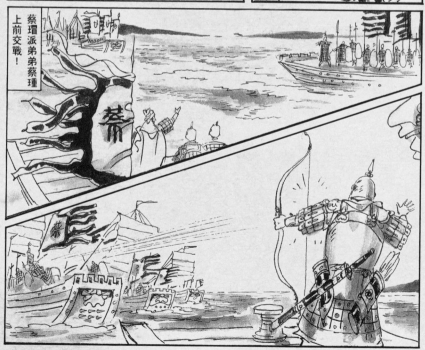

蔡瑁派弟弟蔡壎上前交戰！

曹操回到營寨，責罵蔡瑁、張允。

東吳兵少，爲甚麼卻被他們打敗？

荊州水軍，久未操練；而北兵又不會水戰。必先建水寨，訓練北兵學會水戰，才能開戰！

好吧！你倆全權負責，抓緊訓練！

蔡瑁、張允立即建起一座水軍大寨，訓練水軍。

水寨立得極有章法，水軍都督是誰？

荊州降將蔡瑁、張允。

第二天，周瑜坐着樓船，前去探看曹軍水寨。

立即派船擒捉！

報！周瑜前來偷窺水寨！

曹軍船未出寨，周瑜樓船已經駛遠。

蔡瑁、張允久居荊州，熟悉水戰，要先除掉他們，才能打敗曹操。

過了幾天，曹營商議進兵之策。

我和周瑜自幼同窗，願前去勸他前來歸降。

曹操同意了，蔣幹立刻乘船過江。

報！故友蔣幹前來拜訪都督。

他立刻作了一番佈置，眾將領命而去。

你有把握嗎？

周瑜和我交情很深，一定馬到成功！

蔣幹一定是為曹操作說客，我正好將計就計。

喝到一半，周瑜拉着蔣幹的手，到帳外散步。

我的軍士怎麼樣？

威武雄壯，訓練有素。

我的糧草多不多？

兵精糧足，名不虛傳。

當年我們一起讀書時，沒想到我會有今天吧！

周瑜佯醉。

老兄才識超羣，這也不算過份。

我實在不能再喝了！

子……翼，來……再乾一杯！

周瑜又携蔣幹入帳，喝得酊酩大醉。

好！散……席！

子翼，我們分別多年，今晚一起睡吧！

好！一起睡。

周瑜裝睡，鼾聲如雷，蔣幹心事重重，無法入睡。

二更時分，蔣幹見桌上堆着一卷文書，起牀偷看。

原來蔡瑁、張允暗結東吳……

他發現裏面有一封蔡瑁、張允給周瑜的密函。

我倆不得已投降曹操，正尋找機會殺了他……

子翼，過幾天我給你看曹操的頭顱……

他急忙把信藏起，熄燈上牀。

誰睡在我牀上？

周瑜似乎從夢中驚醒。

四更天，有人來找周瑜。

都督醒醒，有要事稟報。

都督請蔣幹同睡，怎麼忘了？

昨夜我醉了，怎會讓他睡在這裏！

輕聲！到外面去說！

周瑜故作懊悔

江北有人來……

98

蔡、張兩位都督說，一時還不能下手……

子翼！

子翼！

蔣幹裝睡着。

周瑜鼾聲又起。

周瑜很精明，天明見沒了信，必會疑心我，快走吧！

周瑜入帳，解衣睡下。蔣幹蒙頭假睡。

他起牀潛出帳外，不辭而別。

99

把蔡瑁、張允殺了！

蔣幹回到軍營，向曹操作了稟報，並呈上密信。

丞相為甚麼殺蔡瑁、張允？

曹操嘴裏不肯認錯。

他倆怠慢軍機……

毛玠、于禁，你倆接任水軍都督之職！

唉！我中計了……

六

草船借箭

孔明的「虎口泰山」

　　有人自《三國演義》提引出這句話：「曹操也有知心友，關公亦有對頭人。」說的是曹操那樣工於心計①，任何時候都把自己的利益放在首位，竟然也有知己；關公有情有義，可以為朋友兩脅插刀，卻也有仇敵。那末，聰明絕頂的孔明，有沒有智慧不足的時候？

聰明人亦有不智之時

　　其實，無論看任何人，我們都不應該只看其一面。這裏且不說曹操和關公，就說孔明，他孤軍深入東吳，為協助劉備而工作的日子裏，有的做法，是值得我們推敲的，不要因為那是孔明的言行，便全盤接受下來。

　　有的人會為自己的盛名所牽累，有的人卻會被他人的盛名所震懾。這兩種事情都是我們可以經常見到的。而，這都不是智者所為。

　　孔明又如何？

　　孔明在舌戰羣儒之後，得見為孫權主理外事的周瑜，為了收一舉攻破的效果，他引用曹操幼子曹植於父親建造銅雀台後所作「銅雀台賦」中「攬二喬於東南兮，樂朝夕之與共」一句，以證明曹操以百萬大軍東征，討伐孫權，說到底，只是為了要得到「江東喬公二女」，即大喬與小喬。如把「喬公二女」送給曹操，那末，便可以不費一兵一卒而平息干戈了。

　　孔明在這裏所用的是激將之法。他知道大喬小喬已分別嫁給孫權與周瑜，屬孫夫人與周夫人之身，卻詐作不知；此外，他也明白曹植詩中的「二喬」，其實指的是「二橋」（古時喬、橋二字相通），只是故意把彼「二喬」當作此「二喬」，偷天換日。

　　孫權身邊，文人雅士不少，周瑜要弄清楚曹植「二喬」的眞正含義，是一點兒也不難的。這樣，孔明便要立即事敗了。即使周瑜在激怒之際一時糊塗，事後隨便問一問，就眞相大白。最重要的是，孔明偷換了「二喬」之後，並非大功告成，他仍要留在東吳，甚至正是留在周瑜身邊，日子是不容易過的。

　　當然，孔明並沒有因此而事敗，但這不能說明了，孔明那激將之法是高明的。起碼，那是可一不可再。除非，使用類似的激將之法後，對方已沒有周旋的空間，自己馬上便大功告成，那才值得冒險。

太自信不懂江湖險惡

　　此外，孔明留在周瑜身邊，卻一再向周瑜的謀士魯肅透露自己的想法，也是難以使人信服的。而且，孔明是一再看透了周瑜的部署，使周瑜處處變得被動，這樣的做法，讓周瑜知道了，必然不甘心，對孔明而言，無異於自設障礙。事實上，魯肅也是一而再地把孔明的想

法告之周瑜。

　　一個人鋒芒太露總是不好的。鋒芒太露，容易樹敵，容易使自己孤立。大智若愚，大勇若怯，也只有那樣，才有利於把事情做好。我們做事，目的就是要把事情做好，不是要表現自己。其實，我們做人也是如此，老是要表現自己，突出自己，是很難得到朋友的，更不要說得到知心了。孔明不會不曉得魯肅多半把他的想法通報給周瑜，卻仍然那樣做，唯一的解釋，恐怕就是比較幼稚，不懂「江湖」險惡。

　　孔明十分自信。例如，劉備在關雲長的陪同下，得以在孫權那兒脫險，便立即招呼孔明離去，不要重返江東。可是，孔明並沒有那樣做，他說：「亮雖居虎口，安如泰山」，非常的自負。虎口餘生，已經大不容易，虎口泰山，更是難乎其難了。所謂「自我感覺良好」，那一刻的孔明，便是如此。他那樣說，無疑有安慰劉備的作用，但同時也確實是因為自信。

露鋒芒引來重重殺機

　　孔明的鋒芒畢露，使周瑜的殺機愈來愈重。後來，周瑜與孔明論水戰，認為水戰的最佳武器就是弓箭。接着，周瑜立即以弓箭不足為理由，請孔明監造十萬枝箭。周瑜給十天時間，孔明說三天便足夠。周瑜為此逼

令孔明納下軍令狀，孔明做不到，便要給殺頭。至此，周瑜已是殺氣騰騰。

周瑜更吩咐軍匠怠工，要使孔明在短短的三天裏處處碰壁。

孔明再把自己的想法告訴魯肅。同時，他請魯肅不要把他的想法轉告周瑜——其實，在此之前，孔明也曾對魯肅說過類似的話，只是不生效，魯肅都對周瑜說了。這次，孔明要在三天之內造十萬枝箭，卻只是要魯肅借二十隻船給他，而箭竹、翎毛、膠漆等造箭物料卻是一概不要。幸虧，魯肅不解孔明的用意，沒有向周瑜提及借船的事，只說孔明不用造箭物料，這樣，孔明「草船借箭」的計劃才可以順利進行。當然，我們也可以說，孔明的「虎口泰山」的自喻，顯示了他的胸有成竹。我們覺得他行險着②，可能孔明的看法跟我們相反，他是「穩坐釣魚船」。

不過，說到底，我們不是孔明，言行便得加倍謹愼，才容易取得成功。

這計雖能瞞過曹操，只怕瞞不過諸葛亮，你去試探他一下。

都瞥用計這樣巧妙，一定能打敗曹操。

周瑜得知反間計用計成功，喜笑顏開。

公瑾派你來問我知不知道的那件事，對嗎？

你怎麼知道？

子敬，賀喜啦！

有甚麼喜事？

魯肅來見諸葛亮。

這計策只能愚弄蔣幹，雖瞞過曹操一時，過後必然省悟。

第二天，周瑜升帳，請諸葛亮一起商議軍務。

孔明，水上交戰，最需要甚麼兵器？

弓箭。

十天之內，能不能造好？

曹兵進攻在即，如需十天才造好，豈不誤了大事？

目前我軍正缺箭用，想請先生監造十萬枝箭，不知行不行？

行啊！不知甚麼時候要？

軍中無戲言！

三天足矣。

那你說幾天？

我怎敢戲弄都督？願立下軍令狀，三天造不出箭，甘受重罰。

周瑜曠霸，立即讓諸葛亮立下了軍令狀。

三天後，派兵五百到江邊搬箭。

他找死！
三天無論如何也造不出十萬枝箭！

諸葛亮是不是在騙人？

現在你去看看他的動靜，回來告訴我。

你自取其禍，我怎救你？

你借我二十條船，每船三十名軍士……

我叫你別說我識破公瑾之計，你不聽，今天這事須你救我！

魯肅來見諸葛亮。

諸葛亮有甚麼動靜？

但你千萬不能告訴公瑾，他若知道，我就完了。

好！我一定不告訴他。

奇怪！看他三天後怎麼交差！

他沒準備造箭的材料，一點動靜也沒有。

魯肅導守諸言，沒說借船的事。

111

一連兩天，諸葛亮按兵不動。

魯肅私下把軍士、船隻，調發給諸葛亮。

深更半夜，你叫我來幹甚麼？

第三天四更，諸葛亮悄悄把魯肅請到船中。

跟我一同去取箭！

別多問，去了就知道了！

到哪裏去取？

諸葛亮吩咐用長索把二十隻船連結起來，向北岸進發。

這大霧，你搞啥名堂？

等會便知道，你只管喝酒。

報！前面已近曹操水寨！

船隻頭西尾東排成一行，擂鼓吶喊……

咚咚咚！衝啊！殺呀！

如果曹兵殺出，怎麼抵敵？

113

報告丞相，東吳水軍趁濃霧渡江，攻擊水寨！

！

濃霧鎖江，虛實難測，曹兵不敢出動！

大霧之中，必有埋伏，不可妄動！可派水軍弓箭手亂箭齊發，別讓他們攻進水寨。

是！

曹操又令張遼、徐晃帶六千弓箭手到江邊助射！

114

嗖！嗖！

不一會，船上草靶便插滿了箭。

把船逼近水寨受箭！

全體船隻掉頭，頭東尾西，繼續受箭！

諸葛亮邊和魯肅喝酒，邊指揮。

箭如雨下，插入草靶。

日升霧散，收船回去！

謝丞相箭！

每船約有五六千枝箭，總數不下十萬，回岸邊去繳箭吧！

唉！我上當啦！

公瑾限我十天造箭，原想借故害我，我怎會不知道？但我只用了三天……

先生真是神人！你怎麼知道今天有大霧？

軍事家怎能不懂天文地理？我三天前預測今天有大霧，才敢答應三天內繳箭。

116

咕！
箭都在
草靶上
你們去
搬吧！

都督
派我率
五百士
兵前來
搬箭！

總數
多少？

約十五
六萬！

魯肅到大帳向周瑜
報告了草船借箭
的經過。

諸葛亮
神機妙算，
我不及他！

118

七

苦肉計

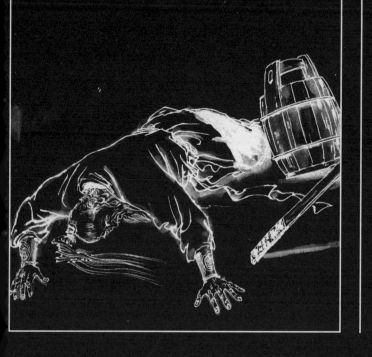

受皮肉之苦只是第一步

周瑜火燒曹操大軍的船隊得以成功，進而取得大捷，關鍵人物之一，是黃蓋。

打人的一個也不簡單

在一般人的理解中，所謂「苦肉計」就是打與被打的關係，只要有這麼一個關係在，「苦肉計」就能達成了。其實是遠遠沒有這末簡單的。

有一句歇後語，叫「周瑜打黃蓋」，沒說出來的是：「一個願打，一個願捱」。周瑜的苦肉計，也是這樣開始了第一步的。爲甚麼說是願打呢？因爲在某個情況下，打人的一個，也不是那麼容易的。黃蓋——黃公覆是東吳的三世舊臣，也就是說，是東吳的三朝元老，恐怕連孫權見着黃蓋，也得以禮相待。周瑜的這條苦肉計，是連親信也不明說的，他這樣痛打黃蓋，自然會使許多人產生對他不那末有利的想法；還有，如果苦肉計有甚麼破綻，將來黃蓋把自己送到曹操面前，便肯定是凶多吉少，或者，周瑜因此會反而受到曹操的掣肘，而，無論是那種結果，都會使周瑜處於被動的局面。

二百字短柬字字推敲

另一方面，黃蓋除了願捱之外，還做了不少事，其

中，他給曹操寫的那一封信，不到二百個字，卻是極為有力的。這封信，一開始就是：「蓋受孫氏厚恩，本不當懷二心①」，開門見山，挑出了曹操最大的疑慮。黃蓋深知，要得到曹操的接受，首先就要很好地面對這個事實：一個三朝元老②，為甚麼會變心呢？

黃蓋自問自答，他第一指出了，「用江東六郡之卒，當中國百萬之師」，那是任何人都知道是不可行的。黃蓋的這個說法，是連消帶打，既是不可行，也大大地捧了曹操一把，估計會使曹操非常受用。然後，他指周瑜剛愎自用③，還把他痛打了一頓，不值得追隨，有了前面的一個前提，黃蓋這裏所說的，也便是事實了。同時，這也是黃蓋降曹的伏筆。

最後道出了要害之處

黃蓋接着說：「伏聞丞相：誠心待物，虛懷納士」，這又再正面地捧了曹操一把；然後，他道出了要害之處：「蓋願率眾歸降，以圖建功雪恥。糧草車仗，隨船獻納」。這裏是一石二鳥：既率眾復帶備糧草，是表示誠意；與此同時，曹操願接納糧船（其實是內藏大量易燃物的火船），周瑜的火燒連環船之計才得以實現。

黃蓋這封短柬，內藏「匕首」（得以靠近曹操船隊的火船），卻又不能「圖窮匕現」，要照顧周全，是字字都

① 二心：背叛之心。
② 三朝元老：服侍過三位皇帝的老臣子。
③ 剛愎自用：倔強固執，自以為是，不肯接受別人的意見。

121

要多番推敲的。無疑，這封短柬也是敎曹操傷透腦筋的，他反覆把這封短柬看了十餘次，然後一開口就對送信給曹操的闞澤說，那是黃蓋的苦肉計。

闞澤也確是厲害，如果換了是別人，定力不足，一下子就會給曹操嚇破了膽。

這樣才成就一椿大事

曹操指信裏沒有歸降的日期是爲破綻，闞澤從容以對，說「背主作竊，不可定期」，再加上曹操派去周瑜那兒當間諜的蔡中、蔡和傳來黃蓋被周瑜毒打的消息，曹操才消除了部分疑慮。

要成就一椿大事，確實是一點兒也不簡單的。一方面要有膽有識，同時在具體的每一個細節上也得認眞地運作，多個步驟得互相呼應，這樣才有成功的機會。

曹操爲報失箭之仇，派蔡瑁族弟蔡和、蔡中前往東吳詐降，刺探軍情。

周瑜重賞二人，讓他們在甘寧手下當前部副將。

蔡中、蔡和多半是詐降，不可收留。

他們爲報仇而來，不會有假。你別多說了！

二蔡不是眞降，我是將計就計，讓他們替我通報消息。你要小心提防他們。

周瑜暗中卻把甘寧喚來。

兵不厭詐，公瑾是將計就計……

魯肅把事情告訴諸葛亮。

原來如此！

呵！

123

曹操兵多勢強，不易攻破。各軍先領三個月糧草，積極防守！

第二天，周瑜召集眾將。

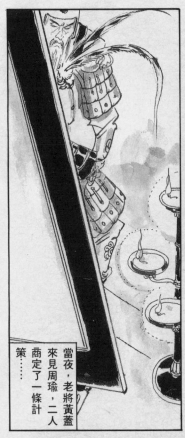

當夜，老將黃蓋來見周瑜，二人商定了一條計策……

曹操百萬大軍壓境，單靠防守有甚麼用，不如投降算了！

主公有令，誰敢再說投降，一律斬首！來人，把他推出斬了！

124

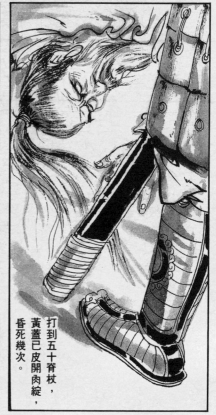

你還敢違令嗎？先記下五十棍，再敢放肆，兩罪俱罰。

眾將再次跪下求情。

眾將把黃蓋扶回本寨養傷，人人落淚。

今天都督怒打黃蓋，你為甚麼袖手旁觀？

這是苦肉計，是要黃蓋去詐降曹操，我為甚麼要勸呢？

原來如此！

你見了公瑾，切不可多說，只說我也埋怨他就是了。

好吧！

都督爲甚麼毒打黃蓋？

怨我的人很多吧？

很多。

哈哈……這是我用的苦肉計，這回可瞞過他了！

諸葛亮呢？

他也埋怨都督太薄情了！

魯肅更欽佩諸葛亮了，可嘴上不敢說出來。

當晚，黃蓋的好友，參謀闞澤前來探望。黃蓋據實相告，請闞澤去曹營獻詐降信。

兄如此盡忠報國，我怎能推辭？我今晚就去！

闞澤拿了詐降信，扮成漁翁，連夜過江。

你既是東吳參謀，到這裏來幹甚麼？

我是東吳參謀闞澤，有要事求見丞相。

東吳黃蓋遭周瑜毒打，想來投降。我是黃蓋知交，替他送信給丞相。

曹操閱信

丞相大軍壓下，我勸周瑜歸降全遭毒打，願率部投順……

……哈哈哈

黃蓋用苦肉計，你來獻詐降信。來人，推出斬了。

我不是笑丞相，是笑黃蓋瞎了眼……

我已識破你們的奸計，你還笑甚麼？

129

我熟讀兵書，你們的鬼花樣騙得過我？

你從哪裏斷定我們是詐降？

真心投降，為何不約好時間？

我一時失察，差點屈斬賢士，請見諒！

你連「背着主人做暗事」不能預約日期也不懂，還自稱熟讀兵書，真是可笑！

曹操設宴，為闞澤壓驚。

一部將進來向曹操呈上一封密函。

東吳內部不和，周瑜怒打黃蓋，甘寧受辱⋯⋯

蔡中 蔡和

我不能再回去了，望丞相另派心腹之人。

如再派別人，恐怕洩漏機密，還是先生回去好。

請你與黃蓋約定日期，到時，我發兵接應。

那好！我立刻起程，免得引起東吳懷疑。

闞澤駕起小船，回東吳而去。

131

八

龐統巧授連環計

謀事在人成事也在人

　　周瑜要火燒曹操於江上的船隻，是蓄謀已久的了。到了黃蓋的苦肉計之後，接下來的問題，就是怎樣才可以使曹操的船隻釘在一塊了，否則一船着了火，其他的船四散，也產生不了很大的作用。這其實就是龐統的見解。

不可爲之事變得可爲

　　這裏說着的，是要調動曹操，做周瑜所樂見的事。當然，曹操與周瑜正在對壘，他是一定不會聽周瑜的話去做的，更何況曹操不是等閒之輩①。

　　乍看起來，要曹操把船釘在一塊，幾乎是不可能的事，但周瑜就是堅執地朝這個目標去想方設法。換了是別的人，可能連想也不敢想。「知其不可爲而爲之②」，這可能是愚昧的，但也可能不。知其不可爲，於是想也不敢想，不可爲便會變成絕對的不可爲了。有的人則把不可爲變爲不易爲，然後去想一想，到底有沒有可爲之道，這末一來，不可爲的事，便會變成未必不可以爲了。敢於去想，再實實際際地去碰一碰，有的時候，不可爲也是會變爲可爲的了。我們都知道，後來曹操眞的把船給釘了起來，成爲了連環船，一如周瑜所願。

曹操一聽便大爲叫好

這是不是天賜奇跡呢？不是。

黃蓋的苦肉計，在於使曹操相信，黃蓋真的是有投降之意，並且讓他在適當的時候駕着載滿糧草的船隻（其實是滿載易燃物的火船）投歸曹操的船隊。上面也說過了，這是達成了周瑜目的之第一步。

曹操當然不會輕信黃蓋的歸降的。他還要派人去試探虛實，這一次，又是蔣幹，要藉着自己與周瑜的同窗之誼，再度自動請纓前往。周瑜知道質素平平的蔣幹第二次登門，正中下懷。

在周瑜的背後安排下，讓蔣幹見着了「不得志」的龐統，於是蔣幹輕易地又立一「功」，引領鳳雛先生——龐統投靠曹操。龐統見着了曹操之後，一方面盛讚曹操的軍容，一方面問曹操軍中有沒有良醫，以此來帶出他要說的話，那就是北軍不慣乘舟，容易生病，要備有良醫；而，更好的做法，就是以連環船來抗風浪。果然，曹操一聽便大爲叫好，立即命軍中鐵匠，「連夜打造連環大釘，鎖住船隻」。

龐統高明能乘勢而上

龐統輕描淡寫之姿，便可以竟全功，究其原因，那

是由於他能夠搔着了曹操的癢處③，加上他又挾有盛名，所以才會叫曹操全盤受落。無疑，龐統能一下子搔着了曹操的癢處，這是最為重要的，曹操向龐統亮出自己的軍容，以為能震懾龐統，使他不懷二心，豈料龐統能夠乘勢而上，在讚語之下隱藏殺機，既蒙住了曹操，又使周瑜少了一個障礙。

③搔着⋯癢處：正好說中了對方心裏所想的東西。

若非賢弟膽識過人，能言善辯；這苦就白吃了。

現在我再去甘寧寨中，探探二蔡動靜。

很好！

闞澤回到江東，來見黃蓋。

將軍昨天你被周瑜羞辱，我眞替你不平。

甘寧微笑不答。

正巧蔡和、蔡中走了進來，闞澤忙給甘寧遞了一個眼色。

闞澤故意在甘寧耳邊低語。

周瑜太狂妄了！他如此羞辱他，眞想跟他拼了！

這兩位似有意謀反，不如促他倆一下。

咦！咦⋯⋯

？

甘寧心領神會，拍桌痛罵周瑜。

兩位爲甚麼這樣氣憤？

你們哪會知道我們的苦衷？

你倆想背棄東吳，投降曹操，是嗎？

兩位不必擔心，我倆是丞相派來的……

我的秘密給你倆看，破，我得殺了你們。

真的。我倆可以幫助引薦。

是真的嗎？

我倆馬上寫信報告丞相……

那我們是一家人了。我已替黃將軍送密信給丞相，特來約甘將軍歸降的。

黃、甘說要投降，不能全信。誰能去探一下虛實？

曹操接到密信，心中捉摸不定。

我願再次過江，弄清真相。

好！你再去一次！

好！你等着。

我是周都督故友蔣幹，求見都督。

蔣幹乘上小船，過江而來。

我的計策又要靠他來實現了！讓他等着。

報！蔣幹求見。

好！我就去！

周瑜教魯肅去請襄陽名士龐統。

用火攻！但江面遼闊，一船着火，其他船便四散避開……

那怎麼辦？

如有機會，我走一趟。

向曹操獻計，教他把船用鐵環連鎖，我們定能成功！

妙極了！但誰去呢？

周瑜曾向龐統請教破曹之計。

龐統，字士元，人稱「鳳雛先生」，與諸葛亮齊名，他因避戰亂，正寄居江東。

141

好！就這樣辦！

請先生去西山……

不一會，魯肅把龐統請來。

你還有臉來？來人，先讓他住到西山庵去，待破曹回來再說

龐統走後，周瑜才讓蔣幹進營相見。

公瑾兄，又見面了！

西山庵冷冷清清
蔣幹悶悶不樂。

黃昏，他出庵
散步解悶。

如此荒野
竟有人
夜讀？

遠處隱隱傳來
琅琅的讀書聲

他循聲尋去。

姓龐，
名統，
字士元。
你是誰？

請問
尊姓大
名？

蔣幹敲門
求見。

143

周瑜量小忌才，我只得在這裏隱居。請進屋坐！

我是蔣幹。久聞先生大名，你怎會獨住在此？

好呀！我早就想離開這兒了。要走就快，免得讓周瑜發覺。

先生大才，如願歸附丞相，我給你引見。

兩人連夜下山，乘船過江。

丞相，消息雖然沒探到，卻請來了鳳雛先生。

現在營外。

他在哪兒？

久聞大名，請多多指教。

曹操親自出營相迎。

久聞丞相用兵有法，願先見識一下軍容。

好！備馬！

靠山紮營，前後照應，雖照孫武用兵，也不過如此！

這是旱寨！

145

丞相用兵，名不虛傳！

這是水寨！

哈哈！說得好！

周郎！周郎！剋期必亡——

龐統高談闊論，曹操十分佩服。

軍中好醫生多嗎？

要醫生幹甚麼？

？

龐統裝醉。

唔！生病的確實不少，可眼下這一仗怎麼辦？

我看水軍生病的很多，得請些好醫生來調治。

妙極了！如此一來，何愁東吳不破！

有！只要用鐵環把大小戰船鎖在一起，就可減小風浪顛簸……

哈！哈！

曹操立刻下令，打造鐵環鐵釘，鎖住船隻。

好！你速速回去。

江東人才不少，大多不滿周瑜，我去勸他們來歸降丞相！

龐統拜別曹操，乘船過江而去。

147

九

火燒赤壁

驚心動魄的心智大比拼

赤壁之戰是劉備、周瑜與曹操兩軍的一場大決戰。這既是一場軍力上的大決戰，更是心智上的大比拼。

心意合一達最高境界

也正是這場決戰告訴我們，心智的優勝較軍力上的優勝是更加重要的。對這場大決戰，倘若我們看的只是雙方軍力上的交鋒，儘管看是好看，其過程也很直接了當，卻是很大的損失，或者說，是很大的浪費。

我們要善用身體上直接接受外間訊息的器官，包括了眼睛、耳朵、鼻子等等，所謂善用，就眼睛來說，就是不要看到甚麼便相信甚麼，因為，如果這樣，我們便每每為世上眾多表象所欺騙。善用眼睛，便得心眼合一，心意合一。我很同意一些專家所說的，讀懂一本書的最高境界，便是與作者的心意互通。要注意的是，這是通過讀一本書而達至的，有着很高的難度。

今人把古代赤壁之戰化為圖象，在某個程度上，那是比文字好看的，可是，圖象往往會把我們的注意力、把我們的目光滯留在表面上。從心智的層面看，赤壁之戰對陣雙方的最高統帥是誰呢？那就是曹操和孔明，都是善於動腦筋的人物。

曹操怎會輕易地入局

　　赤壁之戰的主要戰場是在江河之上，首先碰上的難題是怎樣引曹操入局。周瑜的軍隊善水戰，這一點是眾所周知的了，也就是說，曹操不可能不曉得，熟讀兵書的他決不會以己之短去攻敵所長。孔明主要做了兩件事，第一是讓曹操相信他有可靠的內應，第二是使他認為自己有了法寶，相信自己的戰船穩如陸地。這兩件事倘若做得好，曹操便會不知不覺地入局的了。孔明和周瑜在這兩件事情上，下了很大的工夫，例如，他們請來了龐統，向曹操獻上了連環船之策，使曹操自以為得計。曹操相信龐統，還因為他在當時是幾乎與孔明齊名的智者，也正是這樣，他便只看到了連環船的優勢這一面而看不見另一面了。

　　連環船的優點是平穩，可是，因為連環，便變得笨拙，最忌人家的火攻，這一優一劣，本來是擺得很清楚的，但智者如曹操，結果也上了大當。我們也應該把這看成是深刻的教訓，在平日的生活裏，我們也很容易變得這樣的糊塗，如果到了事後才訝異：怎麼自己會把頭撞在牆上？那就是太遲了。也不要埋怨，那是神差鬼遣。

怎樣用好有缺點的人

我們也得注意孔明的調兵遣將。劉備軍中，大將不少，趙雲、張飛、關雲長，都是可以獨當一面的人物。俗語說：「一山不可藏二虎。」孔明面對的不僅是二虎，而且是三虎，稍為處理不當，便會導至「窩裏鬥」，甚至會自毀長城。孔明調遣三虎，一如行雲流水那樣的順暢，其中一個重要的原因，是他深明三員大將的個性，例如他派關雲長把守華容道，便是一方面估計關雲長也要立功，另方面卻也知道關雲長還有要報恩於曹操的心理，便讓他藉着這次機會報恩，還了心願。

孔明不僅是用人，在用人的同時，他更得服人。用人，除了用有優點的，也得用有缺點的，否則，便無人可用了。每一個人都有優點和缺點，問題是怎樣揚長避短，更高明的，就是揚長之外，還能夠逐步地克服缺點。關雲長後來果然放了曹操，報了恩，但也欠了孔明和劉備的情，這在用人上，是一記伏筆，將來孔明再用關雲長去擒曹操，關雲長便再無顧忌了。孔明便是這樣的造就了關雲長。用人不得其法，人才便會凋零。近年，社會上的用人，時興「獵頭」，以高薪聘來別家公司的主腦為自己所用，得到即時效用；這固然是一種急功近利的做法，而且，能不能收到效果，還要看對獵得的主腦是否用得其法，用得不好，主腦也是要報廢的。

疑兵之計可千變萬化

曹軍在赤壁之戰裏大敗，落荒而逃。雖然說，「敗軍之將不足以言勇①」，可是我們看到，曹操到了那個時候，還是充滿了自信的，他一而再地中了孔明的伏兵，但也一而再地向自己的隨員炫耀自己的軍事才華，譏笑孔明不過爾爾。曹操的信心到了那個時候還不崩潰，還能夠挺得住，也是他的本事，只是這信心亦使他一再地中伏。他認為孔明一定是故佈疑陣，自以為識破了孔明的詭計，豈料就是這樣而中計，如果他願意聽隨從的話，儘管那是一般知識，卻不會中計呢！關雲長所守的華容道就是如此，那本來是一條小路，因為燒起了火，曹操以為那兒必然是沒有人在，所以不走大道，偏取華容，就這樣第三次中了孔明的伏兵。疑兵用得好，也是會千變萬化的。兵書人人可讀，兵法上的東西，許多都是公開的，問題是能不能精讀，能不能活用。一個精讀，一個活用，便難倒了許多人，分出了高下。

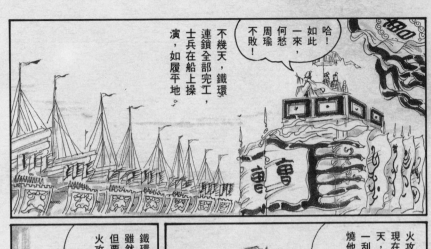

不幾天，鐵環連鎖全部完工，士兵在船上操演，如履平地。

哈！如此一來，何愁周瑜不敗！

鐵環鎖船雖然平穩，但要防周瑜火攻。

火攻？現在是冬天，西北風一刮，豈不燒他們自己？

丞相高見。

好！北兵雖不習水戰，有了連環船，就甚麼都不怕了。

不要猖狂，張南來也！

喊甚麼，我來教訓你！

曹軍其他船隻，落荒而逃。

哈哈！

追啊──

殺啊──

兩船相距七八尺，周泰飛身一躍，跳上張南船頭。

啊──

156

船到江心，碰到文聘接應戰船，雙方混戰。

敵人兵多，不能孤軍深入！

我們正要乘勝追擊，爲甚麼收兵？

周瑜在山上督戰，怕韓當、周泰吃虧，鳴鑼收兵。

狂！狂！

啊喲，不好！

突然，狂風大作，拂起軍旗，掃在周瑜臉上。

157

唉！都督病得太不是時候了！

眾將把周瑜扶回營寨，一面請大夫診治，一面飛報孫權。

那太好了！請你馬上就去

都督的病，我能醫治！

魯肅垂頭喪氣，來見諸葛亮。

158

我有一秘方，可治都督之病。

請先生賜教。

幾天不見，都督怎麼突然病了？

唉！「人有旦夕禍福」呀……

那有甚麼辦法嗎？

欲破曹公，必用火攻，萬事俱備，只欠東風！

好！我立刻派人爲先生築壇。

我會得傳授，能呼風喚雨。都督設壇，我替你把東南風借來！

159

我上壇作法，都督見東南風起，便可進兵！

好！

諸葛亮穿上法衣，披頭赤腳，登壇，作法。

法壇築好後，取名七星壇，周瑜派一百二十名將士護壇。

周瑜率眾將在大寨等候，一連兩天，不見東南風起，十分着急。

諸葛亮簡直在騙人，這個時令，怎會有東南風呢？

報！起風了！東南風。

第三天。

諸葛亮真神通廣大，我非殺他不可！

周瑜派丁奉、徐盛到七星壇去殺諸葛亮。

昨夜諸葛亮乘快船走了！

諸葛先生別走，都督有要緊事要請你！

上覆都督，好好用兵。不必追了！

諸葛亮早已料定周瑜要害他。

常山趙子龍在此！請瞧瞧我的手段！

諸葛亮的快船，直駛夏口。

張飛去葫蘆口埋伏，看到曹兵起鍋做飯，立刻殺出！

是！

趙雲帶三千人馬，去烏林埋伏！

是！

諸葛亮回到夏口，立刻調兵遣將。

軍師，今日大戰，爲甚麼把我攔在一邊？

曹操敗退，必走華容道。我想派你守在那裏，又怕你放走他！

諸葛亮派糜竺等巡邏江面，劉琦屯兵武昌江岸。

163

關羽帶了五百士兵，到華容道埋伏。

軍師神算，世上無人能及！

我夜觀天象，曹操命不該絕，把這人情留給雲長，也是美事一椿。

二弟義氣深重，怕真放了曹操。

一起去看周郎火燒赤壁吧！

諸葛亮計謀多端，不除掉他，我日夜不安！

待破了曹操再說吧！

這時，丁奉、徐盛已回營將經過稟報周瑜。

決戰勝敗在此一舉，你等要同心協力！

166

甘寧領兵三千，由蔡中帶路，到烏林燒毀曹軍糧草！

是！

太史慈領兵三千，到黃州截擊曹操援軍！

是！

呂蒙、凌統領兵，接應甘寧，焚燒曹寨！

是！

其他各路，周瑜也一一派定。

黃將軍，你立刻派人去曹營約降，三更率船出發！

是！

今夜三更我押糧船來降，船頭插青龍牙旗為記。

黃蓋立刻派人給曹操送去一封信。

哈哈！黃蓋一降，周瑜的末日到了！

丞相，今天起了東南風，要多加提防。

冬季，偶爾刮起東南風，不必多慮！

這時，周瑜已殺了蔡和祭旗，命黃蓋率船出發，其他船隊也隨後出發。

三更時分，曹操率眾將來到水寨大船上觀望，等待黃蓋降船。

好！黃蓋的糧船來了！

169

糧船很重，應吃水較深；而來船卻浮在江面上……

不好！來船有詐！不能讓他靠近大寨！

你怎麼知道？

哦……有理！文聘，你快帶十隻巡船，攔住它。

是！

丞相有令，來船停在江心。

噢～

黃蓋挽弓搭箭，一箭朝文聘射去。

啊！

不好了！黃蓋投降是假的！

快去報告丞相……

各船點火！衝向曹軍水寨！

轉眼，二十條火船一齊向曹軍水寨衝去。

171

曹軍水寨頓時一片火海，曹軍被溺死、燒死、殺死的不計其數。

出擊！

周泰、韓當、蔣欽、陳武各以二十條火船開路，衝向曹軍水寨！

曹操眼見中計，卻又走投無路。

張遼駕小船來救。

曹賊！你往哪裏逃？

嗖

張遼保着曹操上岸。

啊啊……

黃蓋落水。

這時，甘寧已殺了蔡中，和潘璋、董襲分頭放火，早寨也成了一片火海。

張遼找來一百多騎兵，保着曹操往北逃去。

175

毛玠、文聘率幾十名殘兵趕來，滙合一處。

丞相，我來擋他一陣，你快走。

曹操你往哪裏逃？

毛玠、文聘保着曹操繼續北逃。

176

完了！

丞相
不用
慌，
徐晃
來了！

曹操
你的
死期到
了，
凌統
在此！

！

徐晃保着曹操北逃，遇到馬延、張顗三千人馬，

曹操命馬延、張顗在前開路。

甘寧領兵阻擊。連殺兩將。

丞相別慌，張郃來了！

張郃、徐晃合力殺退甘寧。

火光漸遠，曹操終於擺脫了東吳的追兵。

十

關羽義釋曹操

孔明成就了甚麼

周瑜卒然吐血病倒，東吳軍隊所承受的壓力便更加大了。這一點，周瑜當然是知道的，只是他心裏愈急，便愈是鬱結不可紓解，病情也便愈發沉重了。

要折一折周瑜的傲骨

周瑜的謀臣魯肅求救於孔明。這個忙，孔明是一定要幫的。劉備要借助周瑜的軍力去對付曹操，在未破曹軍之前，周瑜是不能病倒的。孔明不能不面對這樣的一種現實。問題是，怎樣才能調動得起周瑜。

孔明連調動自己軍隊裏的張飛、趙雲、關雲長等人也不能掉以輕心，要調動周瑜，當然得更費心思了。

周瑜素以工於心計而稱著，這一點，孔明自然是清楚的。要調動周瑜，便得在這方面折一折周瑜的傲骨。孔明知道周瑜既想到以火來對付曹軍，卻又猛然想到隆冬裏的風勢不利於自己，心裏大急而引至吐血，可是，當他見到周瑜的時候，並不能明言，只能暗示，以「天有不測的風雲」、「氣若順，則呼吸之間①，自然痊可」等語來表達，他知道，周瑜是一定聽得明白的。在某個範疇內，劉備和周瑜是同仇敵愾的，首先要做的事，就是聯手抗曹，否則，曹操勢必把握機會，長驅直進。

不要面子也不要威風

　　在孔明的計算中，經過這樣的一番暗示之後，周瑜是不可能不心動的，只要他願意聽取孔明的破敵之策，便是進入了孔明的圈套。如何破敵，孔明其實是胸有成竹，可是，在周瑜的要求下才獻出破敵之策，與自己主動提出，效果是很不一樣的。周瑜天生傲骨，倘若孔明主動向他提出破敵之策，他未必聽得入耳，實行起來，效果便會大打折扣。現在，孔明巧妙地折一折周瑜的傲骨，讓周瑜向孔明請教，然後孔明再提出自己的計策，表面上，還是以周瑜為主動，給周瑜保住了面子，這便有助於周瑜的全盤接受。孔明做事，目的是很明確的，他的想方設法、千方百計，也就是為了要達到目的。所以，我們看到，孔明可以不要面子，可以不要威風，他在適當時候，把這些都讓給周瑜，一手做成自己聽周瑜差遣的局面。

放走曹操成就了雲長

　　到了後來，為了配合周瑜的火攻曹寨，擴大戰果，孔明回到己方，調兵遣將，對趙雲、張飛和關雲長等的安排，他也是有着一番計算的。例如，他故意遲遲不調遣候命在側的關雲長，直到關雲長按捺不住，高聲發問

了，他才讓關雲長扼守華容道，又特別指出了，在這場大戰裏，那是一個特別重要的關口，他是顧慮到關雲長與曹操的情誼，才遲遲沒有把這個重任分派給他。孔明這末一說，逼得關雲長跟他立下了軍令狀，這個軍令狀，一方面是要關雲長保證不會放過曹操，另一方面則是孔明保證曹操必會經過華容道，使扼守那兒的關雲長可以立下一個大戰功。

其實，孔明早就算準了兩點，第一，兵敗的曹操必會經過華容道，這是由於他經過了周密的安排，也深知曹操的性格，兩者結合，便可以產生神機妙算的效果了。第二，他也知道關雲長必會放走經過華容道的曹操，這則是由於關雲長一向重義，曹操曾經一再地幫助他渡過難關，在曹操最困難的時候，他一定會捨命相救的。還有，程昱說的「雲長傲上而不忍下，欺強而不凌弱」，孔明也是深知的，既然一不忍下，二不凌弱，那末，面對兵敗而狠狠逃命的曹操，關雲長又怎會不讓路呢？

孔明讓關雲長扼守華容道，是另有目的的。

在孔明的心目中，關雲長是比曹操更為重要的，曹操兵敗如山倒，在一般情況下，要恢復元氣，不是那末容易的事。這就是說，在一段日子裏，要再度捉得曹操，便不是那末困難的事。可是，如果能讓關雲長藉着這個機會還清了欠下曹操的「舊債」，同時能挫一挫關雲

長的傲上之心，來日方長，必然可以幫助孔明做更大的事，立下更多更大的戰功。

不會比赤壁之戰遜色

孔明正是有着這許許多多的計算的。如下一局棋，有的人下這一步，心裏已經盤算好接下來兩三步的下法，更高明的，是把以後要下的七八步乃至十步以上的下法都計算得絲毫無誤。

下棋要這樣，用人更得如此。

用一般的人得如此，用關鍵的人便更得費周章了。孔明用關雲長，仿如打一場大仗那樣，在某個程度上，是不會比赤壁之戰遜色的。毫無疑問地，赤壁之戰肯定是一場大戰，要把這場大戰打好，已經是很不容易的事，可是，孔明還是猶有餘力，從長遠的觀點看，把關雲長收服。

在孔明看來，把赤壁之戰打好和收服關雲長，必然是一而二、二而一的事情。碰上一場大戰，機會其實是不那末多的，世界上哪來這許多大戰？好不容易才碰上一場大戰，把握着這個難得的機會，鍛煉好一個關鍵的人物，實在是很划算的一回事。當然，大戰來了，一個有待鍛煉的關鍵人物也在身邊了，還得有像孔明這末一個能駕馭一切的人物在，那才水到渠成。想想看，那有

多大的難度；要成就這事情，也是眞眞的不容易啊！

體味得到孔明的快慰

　　讀到《三國演義》裏的這個情節，我們是快慰的，而，我們也完全想像得到，孔明能有那末的一番計算，能讓那末的一番計算逐步逐步地實現，心裏也一定是十分快慰的，再辛苦，也不算是甚麼一回事了！孔明所成就了的，又豈僅是赤壁之戰和關雲長呢！

丞相爲甚麼大笑？

哈哈
哈哈……

五更時分，曹操逃到烏林以西，宜都之北。……

我笑周瑜、諸葛亮不會用兵，假如在這裏埋下伏兵

突然，兩邊鼓聲大震，趙雲領兵殺出。

徐晃！張郃！你倆擋住他！

是！

185

黎明時分，一場大雨淋得曹軍像落湯雞一般。

兩將圍戰趙雲，曹操突圍而走。

他們繼續北逃，來到葫蘆口，人馬倒斃的很多。

不一會，李典、許褚率軍保着衆謀士逃來，和曹操會合。

停下休息，起鍋造飯，放馬吃草！

許褚，擋住他！

是！

張遼、徐晃也上前助戰，夾攻張飛。

雙方混戰，曹操趁亂逃走。

許褚、張遼等不敢戀戰，各自脫身。

曹操東奔西突，終於擺脫了張飛的追擊。

小路有幾處烽煙，大路沒甚麼動靜。

登高觀察一下！

曹操帶着殘兵敗將，來到三叉路口。

這兩條路都通南郡，大路比小路遠五十里，走哪條路？

走華容道小路。

兵法上說：「虛是實，實是虛」，諸葛亮想騙我走大路，不上他的當！

有烽煙之處必有軍馬，為甚麼走小路？

曹操部下衣冠不整、丟盔解甲朝華容道走去。

曹操怕追兵趕上，派張遼等督隊，行動遲緩的一律斬首。

道路窄而泥濘，加上寒冷饑餓，兵士不斷倒斃。

哈哈……

來到道路平坦之處，曹軍只剩三百多人。

丞相又是在笑諸葛亮、周瑜嗎？

我軍人困馬乏，假使在這裏設下埋伏，我們只能束手待擒了！

完了，徹底完了。

突然一聲砲響，關羽率五百兵士攔住去路！

曹操淚流滿面。

將軍最重信義，我若死在他人手裏，毫無怨言，卻不料會死在將軍手裏！

關羽默然不語。

將軍不辭而別，過五關，斬六將，我如何待你？

曹操回頭一招手，率隊衝了過去！

眾軍散開！

曹操重提舊情，關羽能不動心？

站住！你們往哪兒逃？

193

關羽正在猶豫，張遼趕到。關羽又動舊情。

曹操等都下馬跪拜，哭求饒命。

曹操逃到南郡曹仁處，手下只剩下二十七人。

一場鏖戰結束，設宴慶功！

軍法無情！來人，把關羽推出斬首！

軍師，我放走了曹操，請按軍法論罪吧！

我和關、張結義時，誓同生死。我不忍違背誓言，請軍師寬容他一次，讓他以後立功贖罪！

諸葛亮無奈，只得下令放了關羽。

赤壁大戰，奠定了三國鼎立的局面。從此，三雄紛爭，更加精彩紛呈！